La soga ancestral

Blanca Victoria de Lecea

Para Elena, Anhele y Diena
quienes creyeron en este proyecto, y
me animaron a hacerlo posible.

La edad eterna llega

cuando somos pequeños

y no nos damos cuenta

Morar el vacío

Pertenecer a lo ajeno

El motor se para

Alcanza el umbral y resbalan los cuerpos. Se sumergen y despeñan al suelo.

No se pueden seguir eligiendo obras de la casa quemada. Se ahogan los lactantes arriados.

No se puede seguir tirando de piedras. Se quiebran y derraman los afectos.

No se pueden dar más pasos. Fundieron las fuerzas.

El ímprobo vínculo entre las cosas

La imposibilidad del ·y·

Llevo en mí la muerte

se es sola

a cada deslizarse lentamente rodeada de amigos

con su inmanente sonrisa

se es
so la

al contemplar el ajeno y lejano silencio

–Siempre un cristal de por medio–

cuando se baila descalzo y sin freno

y se rompen y vierten las venas

a cada conciencia del intrascendente

devenir, que es el paisaje desconcierto

de la escena.

se   es   sola

Esperanza

La ternura es la muerte lenta

que acaricia la espalda mientras

se clavan, poco a poco hasta el

fondo

todas las rosas que, alguna vez

fueran germen de esperanza

al desamparo en la naturaleza se escucha la

levedad la

sabiduría de la quietud.

lo poco que pesa la tristeza

Cortar las flores

Deshacerse de intangibles primaveras

ya no nacerán, ni una más

en el vientre.

Epitafio

arrasada por

toda una

existencia   que

es culpa

Ritual suicuidatorio

Qué temblorosamente absurdo es conducirse en vida
Que remiendo de hoy que se repite día a día.
Qué atávico seguir perdurando al ser

Amasijo devorado por el ciego latido

¿Quién te anida? En eco me distraigo, contemplo
el retrato.

¿Quién te anida? Ningún temblor en el resplandor
deshabitado. Quién, susurro
ignora mi presencia y en polvorida letanía no sé
quién, responde:

Ecos caídos de lejanos transitares.

Han entrado las termitas derramando denso oleaje

por las costuras, se ve lo negro.

El felpudo se convirtió en envoltorio y no hay
madre, quedaron las dunas, los huérfanos huecos en
el lecho deshojado.

Eres
esta caverna lanzada al velo del vacío, al olvido del delirio

Tiempo de carencias

de masajearnos compulsoriamente las rodillas por las
atoradas huidas: se me deslizan campo adentro
hacia el vientre
todos los posibles fulgores. Se mezclan y
descomponen.

Provoco el vómito:
–algo resplandeciente tengo que hacer   a l g o
T   e   n   g   o   q u e h a c er–

deshabitada, abarco el espacio preciso para saltar la
espera

Vorágine

Los segundos devorando. Cómplices, perduran la incertidumbre. La obra se encomienda –entonces– a la sombra del despojo

Hogar

Cuna y sepulcro

Cae y calla

Silencio

No hagas ruido

No salgas del cuarto

Shhh

Quieta, auséntate

No despiertes a la bestia

En este morar

el silencio es el rugir de la nada

Recalcitrar .Resistir con tenacidad a quien se debe obedecer

El absoluto

control   arquetípico

de su madre.

sobre cualquier movimiento que lance su hija.

Y si la madre está fuera

es su fantasma el que está dentro.

La hija sabe

que hasta que la hija no muera

y no muera la hija de la hija

    no morirá su madre.

o que no morirá nunca

si seguimos bajo esta
atávica

l
l
u
v
i
a
.

Pero los fantasmas de las madres siguen

salvando el vacío, entre suelo y puerta
latigándo al aire,
hendiendo
la celosía.
Logran pasar.

Hedionda existencia, lustrada con jabón

mas hediondo lo caminado, al acostarse.

hedionda la herida, al abrir las piernas.

hedionda la boca, escuchándose a sí misma.

Hedionda

existencia.

Y se repite para sí:

Romper
la Soga
Ancestral

Avería de Escombros

Filos blancos en el albornoz

Figura varada y muda:
desamparada.

Furgoneta apostatada
o perro abatido

dale un beso a tu padre

Mísera tristeza

sumida en el abandono de

unos chistes sin gracia:
rugir de trueno delirante en la madrugada

dale un beso a tu padre

Vagabunda repulsión
fluido de grana
    ¡Olor! de orines una
cucaracha
kafkiana que arma
errabundas miradas.

dale un beso a tu padre

zumbido de mosca que
hace cerrar puertas y
separar estancias.

dale un beso a tu padre

¡Debo!   limitar el vínculo, marcar el linde
/Aquí/   no me alcanzas.

Diáfano mundo

Vacío a cada línea

Ultimátum simbólico

Hay firmeza en tu cadáver cuando sin suspirar quitas
las fotos de las estancias, borras los hijos
piedras en el camino propio.

Hay firmeza cuando tiras tus regalos olvidas los
afectos debes razonar el vacío.

cuando nombras la infancia y numeras los
escenarios de destrucción, la sumisión al delirio de
la nostalgia, reliquia inalcanzable.

Parece que dijeses Ha llegado el momento de limpiar
la sangre enardecida de los genes, de remover la
impureza de lo eterno
nubla el descenso al último lecho

Abandono

Dejarse mecer por la brisa de la ola

y,

dar suaves vueltas de campana

una tras otra.

Aterrizar

dulcemente y a cuatro ruedas

en

una

nube

negra.

mutilarse por abrazos vacíos

baldíos recodos donde esconderse

Necesidad de ser ceniza

Cansada de que no importen **las caídas**

Descenso

Nada más tierno que el

espiritualismo en caída –o

suicidio libre– de una temblorosa

hoja otoñal.

Condena

Viajar y seguir sintiendo incapacidad de movimiento
Arrastrar la carencia y los ojos abatidos
¿Cómo dejar atrás la culpa y vergüenza
por la propia existencia?

Cierro el vidrio

y la vida se detiene.

Queda esta petrificada ausencia qué es eso que anida
este cuerpo esta vieja primera vez

Hablo del pensamiento al vacío Kilos de desdoblamiento
siendo continuamente desplazados sonría todo lo que
sonría, nunca llegan a ningún sitio haga el mejor marketing
catering La mercancía
podrida
vuelve al camión no hay quien la compre

Hablo del peso de un cuerpo que rellene la sangre De
una visión que trasvase y aplaste lo etéreo De dejar de
anclar muros entre el yo y el posible.

I am, I am, I am

Lazos vulnerables

eterna búsqueda deliberada de las rupturas y las
pérdidas
          deseos
desviados

Pronunciar la ausencia
tener la edad de los
muertos Veíamos el
derrumbe avecinarse

testigos conscientes de la masacre

desde los dos costados del retrato

del tiempo que transitaba
inclemente.

los abrazos cayeron

como caen las palabras

rotas sonando a cristal y

lágrima **no más sangre**

que llevar a la boca yo

sola, como un amasijo ya troceado ya

devorado, con solemnidad me encaro

¡quítate esos ojos!

¡quítate ese semblante!

exijo ayuda, esto no es suficiente

la brisa corre a mi defensa y

pronto me susurra

·herrumbre andante

mendiga sobrante

arráncate entera, he dicho, sucia

desperdigada

mendiga

sobrante. Herrumbre andante. ·

vieja infame niña

errante

celebración

Presumimos de dilapidar la idea de la
consumación:

la pretendida levedad de la débil sensibilidad

—un antiguo fulgor—

nos atrae esa resaca de la herida

la carga del rasgo desadaptado, el suicidio del
vínculo tienes las neuronas muertas

paisaje estancado sin
avance, incesante pasado te
habita y relega al silencio

He jugado demasiado a
estar entre estas blancas paredes he
jugado a sola ser, la pureza del lirio, arrancado

El olvido son aquellos deshechos que

dejaron los buitres carroñeros

trozos de vísceras

–despedazadas postradas a la espera–

destrozadas

Abiertas a toda pequeña posibilidad, de ser

Devoradas.

Hubo nunca una vez

.

Epílogo

Cronotopo .Conexión esencial de relaciones temporales y espaciales asimiladas artísticamente en la literatura

Vestido con un puro marrón, hubo una vez un hombre que preguntó en un escenario gris a una chica indecisa:

[¿...?]. No, no escribo. ¿Y ese tatuaje? Significa la escritura.

Pero no escribes. Es que es de Lucía. Quién es Lucía. La que

escribe. Pero lo tienes tatuado tú, no Lucía. Yo se lo guardo.

Estás un poco loquilla. La chica piensa con los ojos en

vaivén y dice un leve

no...

de forma que no sea perceptible la condescendencia y aburrimiento pertinente. Regresemos a la escena:

No…la locura es la esquizofrenia y ninguna de nosotras lo somos, ni siquiera Zuria.

Meses después, la chica se sienta en la silla de su cuarto. Cruza las piernas como lo hacía su madre cuando se sentaban todos juntos a cenar. Estira los dedos de las manos con tinte compulsorio, hace sonar sus muñecas al girarlas tratando de calentarlas y, finalmente, se dispone a reescribir esta escena. Mientras lo hace se pregunta:

Cuándo seré posible. Cuándo responder a la pregunta diciendo "sí"

Este es el cronotopo.

CONTENIDO

ACERCA DE LA AUTORA

Blanca Victoria de Lecea es autora de *La teoría mágica de Tristán* (2024), además de psicóloga, escritora y devota del mundo infantil. Ha participado en varios libros de poesía y publicado en revistas culturales y de investigación académica, destacando su artículo *La disidencia psicológica en Alejandra Pizarnik* por el que obtuvo Matrícula de Honor en el Máster de Estudios Artísticos, Literarios y de la Cultura de la Universidad Autónoma de Madrid. También ha colaborado en proyectos artísticos como *Delezea*, que vincula poesía y fotografía, y logró Mención de Honor en el concurso internacional IPA 2018.

Reside en el Reino Unido, donde mientras estudiaba el Máster en Psicología Infantil y Juvenil por la Universidad Isabel I y el Instituto Superior Europeo de Barcelona trabajó como ayudante de enseñanza en colegios de primaria y centros infantiles. Actualmente trabaja para la Universidad.

Si has disfrutado del libro, te animo a que dejes una reseña en Amazon para que *La Soga Ancestral* llegue aún más lejos.

¡Mil gracias por leer!

¡Sígueme en **@mansionmental** para recibir todas las novedades!

Printed in Great Britain
by Amazon

37197906R00037